JE VEUX ÊTRE CALIFE À LA PLACE DU CALIFE!

CHÛÛÛT PATRON, ON POURRAIT VOUS ENTENDRE.
RÔÔOOOOOOOO... BZZZZZZZZ....
TABARY

LES AVENTURES DU GRAND VIZIR IZNOGOUD
DE GOSCINNY ET TABARY

LE CONTE DE FÉES D'IZNOGOUD

TEXTE DE GOSCINNY **DESSINS DE TABARY**

Editions TABARY
B.P. 10 - 17250 PONT L'ABBE D'ARNOULT

IL Y AVAIT À BAGDAD LA MAGNIFIQUE UN GRAND VIZIR (1M50 EN BABOUCHES) QUI S'APPELAIT IZNOGOUD. IL ÉTAIT TRÈS MÉCHANT ET NE POURSUIVAIT QU'UN BUT...

JE VEUX ÊTRE CALIFE À LA PLACE DU CALIFE!

CET IGNOBLE GRAND VIZIR BORNÉ AVAIT UN FIDÈLE HOMME DE MAIN QUI S'APPELAIT DILAT LARATH. CELUI-CI, MALGRÉ SON NOM, NE RIGOLAIT PAS SOUVENT.

TOUJOURS POUR LA PHOTO.

OR DONC, À BAGDAD LA MAGNIFIQUE...

CETTE AVENTURE NOUS MONTRERA LE GRAND VIZIR IZNOGOUD FAISANT UNE BONNE ACTION. CETTE SITUATION EST À CE POINT INVRAISEMBLABLE, QUE NOUS N'AVONS PAS HÉSITÉ À INTITULER CET ÉPISODE...

Conte de fées

TEXTE DE : GOSCINNY – DESSINS DE : TABARY

IL ÉTAIT UNE FOIS UN MÉCHANT GRAND VIZIR QUI AIMAIT À SE PROMENER DANS LES RUES DE BAGDAD AVEC SON FIDÈLE HOMME DE MAIN DILAT LARAHT...

LA BONTÉ, LA PITIÉ, LA CHARITÉ ÉTAIENT DES MOTS INCONNUS POUR L'ABOMINABLE BONHOMME...

SOYEZ BON, AYEZ PITIÉ! LA CHARITÉ S.V.P.!

HEIN? QUOI? QUE DIT-IL? QUEL EST CE VOCABULAIRE ABSCONS?

ET LE MALHEUR DES UNS FAISANT TOUJOURS LE BONHEUR DE L'AUTRE, LE VILAIN INDIVIDU POURSUIT SA ROUTE EN FAISANT DES LAZZIS...

MAIS, TOUT À COUP...

OÙ SUIS-JE?
À BAGDAD.

A BAGDAD??? CE N'EST PAS LA MAISON DE CENDRILLON ICI???

OH LÀ LÀ! JE ME SUIS ENCORE ÉGARÉE! OH LÀ LÀ!
ENCORE UNE DINGUE!

ET QUI ES-TU, PLAÎT-IL?
JE SUIS LA FÉE CARAMBOLE... ENFIN, JE SUIS UNE FÉE APPRENTIE, JE VAIS ENCORE À L'ÉCOLE...

NOUS Y FAISIONS JUSTEMENT DES EXERCICES DE TRANSPORT... NOUS DEVIONS PARTIR DE CHEZ BLANCHE-NEIGE ET NOUS RETROUVER CHEZ CENDRILLON... J'AI DÛ AVOIR LE COUP DE BAGUETTE UN PEU LOURD...
?
?

MAIS, PAUVRE BÛCHERON, TU NE SEMBLES PAS SAVOIR CE QU'EST UNE FÉE?
ET TOI, TU SAIS CE QU'EST UN PAL?

UNE FÉE ÇA A DES POUVOIRS MAGIQUES! ÇA RÉALISE DES VOEUX!
OUAIP! UNE DINGUE. ON S'EN VA!

ALLEZ, SALUT!

TU NE SEMBLES PAS ME CROIRE, PRINCE CHARMANT. JE VAIS TE FAIRE UNE DÉMONSTRATION DE MES POUVOIRS!
2

BONHOMME, TRANSFORME-TOI EN LIMACE!
PARDON?

FZZZZ!

???
AH ZUT!... BON, JE VAIS ARRANGER ÇA...

J'AI DIT: EN LIMACE! ET PAS DE BAVURES CE COUP-CI!

FZZZZ!

???
FLÛTE! J'AI SAUTÉ DU COQ À L'ÂNE!

FAUT DIRE QUE JE N'AI PAS BEAUCOUP TRAVAILLÉ LE PREMIER TRIMESTRE... J'AI ÉTÉ UN PEU SOUFFRANTE, ET...
MAIS CE N'EST PAS MAL DU TOUT, ÇA!

MAIS ALORS DIS-MOI... SI J'EXPRIMAIS UN VOEU, TU POURRAIS VRAIMENT LE RÉALISER?
OF COURSE!

ALORS, JE VEUX ÊTRE CALIFE A LA PLACE DU CALIFE!

EH BIEN?
BEN...

BEN QUOI?
BEN... C'EST QUOI UN CALIFE?
3

TU NE SAIS PAS CE QU'EST UN CALIFE??
???
NON. JE N'EN AI JAMAIS VU... JE NE PEUX PAS TE TRANSFORMER EN QUELQUE CHOSE QUE JE N'AI JAMAIS VU!

JE POURRAIS TE TRANSFORMER EN CRAPAUD, EN BEAU JEUNE HOMME... NON, PEUT-ÊTRE PAS EN BEAU JEUNE HOMME, MAIS EN CITROUILLE. OU ENCORE...
ÇA VA! ÇA VA! VIENS, JE VAIS TE MONTRER UN CALIFE!

ATTENDS, JE VAIS TRANSFORMER TON COPAIN...
HMM?.. AH! JE L'AVAIS OUBLIÉ CELUI-LÀ... NON, LAISSE-LE COMME IL EST, IL VA NOUS ÊTRE UTILE.

GLOIRE ET HONNEUR AU GRAND VIZIR! BONJOUR MADAME...

...SALUT DILAT LARAHT, MA VIEILLE!

JE VAIS TOUT DE MÊME REDONNER À TON COPAIN SA FORME PREMIÈRE.
SI TU VEUX, MAIS FAIS VITE! DÉPÊCHE-TOI!

C'EST FAIT?
IL M'ÉNERVE CELUI-LÀ! IL M'ÉNERVE!

FZZZZ!

C'ÉTAIT FATAL! CHAQUE FOIS QUE JE M'ÉNERVE JE FAIS UN USTENSILE DE MÉNAGE!...
4

C'EST POUR ÇA QU'À L'ÉCOLE ON M'A SURNOMMÉE: LA FÉE DU FOYER!
TU VIENS, OUI?!!

ALORS, JE TE MONTRE LE CALIFE ET TU ME FAIS DEVENIR CALIFE À LA PLACE DU CALIFE. D'ACCORD?
SÛR!

A CETTE HEURE-CI IL FAIT LA SIESTE. ÇA SIMPLIFIERA LES CHOSES.

C'EST DONC ÇA, UN CALIFE?
OUI, ET JE VOUDRAIS ÊTRE LUI À LA PLACE DE LUI!

TU NE PRÉFÈRES PAS QUE JE LE RÉVEILLE D'UN BAISER COMME LA BELLE AU BOIS DORMANT?
LA QUOI AU QUOI?

IL Y AVAIT UNE FOIS, UNE BELLE PRINCESSE QUI...
????

ASSEZ! NE LE RÉVEILLE SURTOUT PAS! IL FERAIT TOUT RATER! AU TRAVAIL!
BON, BON.

FZZZZ!

5

J'AI RÉUSSI! J'AI RÉUSSI!
UN INSTANT.

IL YA QUELQUE CHOSE QUI CLOCHE.
AH? QUOI DONC?

IL YA UN DE MOI QUI EST DE TROP ICI! VOILA QUOI DONC!

QUEL EST CE VACARME? VOUS SAVEZ L'HEURE QU'IL EST? QUI OSE ME RÉVEILLER?

C'EST MOI!
TIENS! C'EST MOI!

ÇA NE VA PAS ÇA! JE NE PEUX PAS ÊTRE PARTOUT.
OUAIS! QU'EST-CE QUE JE VAIS FAIRE DE MOI?

OH, DIS, EH! CE QUI M'ARRIVE À MOI JE M'EN MOQUE!
ET MA SOEUR, EH!

JE VEUX ÊTRE SEUL CALIFE! JE NE VEUX PAS PARTAGER LE POUVOIR AVEC UN IMBÉCILE!
IMBÉCILE MOI-MÊME, EH!

ESPECE DE MOI HAÏSSABLE!
TU SAIS CE QUE JE ME DIS, MOI?!

6

ARRÊTEZ! ON RECOMMENCE TOUT! VOUS! METTEZ-VOUS SUR LE LIT!
QUI VOUS? MOI OU MOI?

MAIS JE NE SAIS PAS MOI! TIREZ-VOUS AU SORT...
BON.
BIEN.

AM STRAM GRAM PIC ET PIC ET COLEGRAM... C'EST MOI QUI T'Y COLLE!
C'EST PAS JUSTE! JE NE JOUERAI PLUS JAMAIS AVEC MOI!

FZZZZ!

AH! PARFAIT!
QU'EST-CE QUI EST PARFAIT, MADEMOISELLE?

AAAAHHHH!

?

FZZZZ!

OOOOHHH!! !!!!
DITES, C'EST PAS UN PEU FINI, NON???
7

ET C'EST AINSI QUE, GRÂCE À IZNOGOUD, UN PAUVRE MENDIANT PUT PARTIR VERS UN AVENIR MEILLEUR. IL Y TROUVA CHAUSSURE À SON PIED, SE MARIA, FUT HEUREUX ET EUT BEAUCOUP D'ENFANTS. ET MAINTENANT, UN BISOU À MÉMÉ, ET TOUT LE MONDE AU LIT!

TEXTE DE GOSCINNY- DESSINS DE TABARY-76-

LE MIROIR AU ZALOUETT

C'EST DANS BAGDAD EN LIESSE QUE, TOUS LES DIX ANS, L'ASSEMBLÉE CALIFALE (OU DIÈTE, AINSI NOMMÉE CAR ELLE FAVORISE LE RÉGIME) SE RÉUNIT POUR VOTER LA RECONDUCTION DU MANDAT DU CALIFE. L'ASSEMBLÉE EST COMPOSÉE DE 500 REPRÉSENTANTS NOMMÉS PAR LE BON CALIFE HAROUN EL POUSSAH. L'UN D'EUX, CEPENDANT, EST À LA SOLDE DE L'IGNOBLE GRAND VIZIR IZNOGOUD. PRÉCISONS ENFIN QUE LES PARTISANS DU CALIFE SIÈGENT À GAUCHE, CEUX D'IZNOGOUD À DROITE. VOICI COMMENT LES CHOSES SE PASSENT HABITUELLEMENT...

(*) ZALOUETT: GÉNIE VIVANT DANS UN MIROIR.

TU... TU ES VRAIMENT UN GÉNIE?
MAIS OUI! UN GÉNIE BON TAIN.

EH BIEN, SI TU ES VENU ME DIRE QUE JE NE SUIS PLUS LE PLUS BEAU DU CALIFAT, JE CONNAIS L'HISTOIRE ET TU PEUX DISPARAÎTRE! J'AI MA TOILETTE À FAIRE, MOI!

JE T'AI ENTENDU SOUHAITER QUE LA GAUCHE SOIT À DROITE ET VICE-VERSA... C'EST POUR ÇA QUE JE SUIS VENU...

DANS LE MONDE DERRIÈRE LE MIROIR, TOUT EST À L'ENVERS DE TON MONDE... LA DROITE EST À GAUCHE ET VERSA-VICE. POUR LE RESTE, TOUT EST PAREIL. C'EST UN MONDE SYMÉTRIQUE AU TIEN.
MA CHANCE DE DEVENIR CALIFE!

ET... ET JE PEUX ENTRER DANS TON MONDE?
RIEN DE PLUS FACILE; IL TE SUFFIT DE PASSER À TRAVERS LE MIROIR.

MAIS, COMMENT FAIRE?
CASSE LE MIROIR SUR TA TÊTE. IL FAUT BRISER LA GLACE POUR ÊTRE ADMIS DANS MON MONDE.

COMME ÇA?
COMME ÇA!

CRRAC!

PLOUF!
3

SOIS LE BIENVENU DERRIÈRE LE MIROIR
?

STOP! TU CROIS QUE JE VAIS ÉCRIRE TOUS LES TEXTES DE L'HISTOIRE COMME ÇA?!!?!
LA VÉRITÉ HISTORIQUE L'EXIGE... DERRIÈRE LES MIROIRS ILS PARLENT TOUS COMME ÇA...

BON, BON... RÉFLEXION FAITE, NOUS UTILISERONS UNE VERSION DOUBLÉE POUR LES DIALOGUES. REPRENONS...

SOIS LE BIENVENU DERRIÈRE LE MIROIR
?

J'AURAIS DÛ TE PRÉVENIR QUE C'ÉTAIT UN MIROIR DE VENISE. MAIS ÇA NE FAIT RIEN; J'AI DES VÊTEMENTS SECS DANS MA GONDOLE.

OÙ ME MÈNES-TU?
À BAGDAD DERRIÈRE LE MIROIR, OÙ TU TROUVERAS LE MONDE SYMÉTRIQUE QUE TU SOUHAITES...

TU CONNAIS LE CHEMIN?
C'EST FACILE, C'EST TOUT GAUCHE.
4

C'EST VRAIMENT UN TRÈS BEL ENVERS.
ENDROIT
PAS CHEZ NOUS.

CHEZ NOUS, VOIS-TU, LES GENS METTENT DE L'ARGENT À DROITE, LES VIRAGES SONT À ANGLE GAUCHE, ET LES GENS DE MAUVAISE HUMEUR SE LÈVENT DU PIED DROIT.

AH MAIS OUI! C'EST BIEN BAGDAD, JE RECONNAIS LA GRAND-PLACE!

BABOUCHES BAZAR
CAFÉ
TAPIS

ATTENTION!

ESPÈCE DE MALAGAUCHE!
JE NE SAVAIS PAS QUE LA CIRCULATION AVAIT CHANGÉ DE SENS DANS CETTE RUE.
MAIS ELLE N'A PAS CHANGÉ DE SENS.

AUSSI, CE CORNAC SE PREND POUR UN DROITO! IL SE CROIT EN PLEINE PAMPA!
JE NE COMPRENDS RIEN À CE QUE TU RACONTES, MAIS ALLONS VOIR CETTE AFFICHE, LÀ-BAS.
5

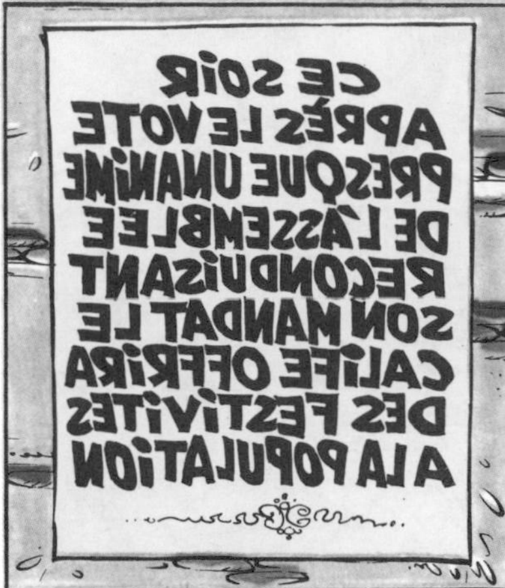

(*) SERVICES DE REPRESSION DU CALIFAT.

MAIS...
PAS DE MAIS! LAISSEZ CES JEUNES GENS S'EXPRIMER! RENTREZ DANS VOS CASERNES!

ET JE NE VEUX VOIR AUCUN GARDE DANS LA RUE JUSQU'APRÈS LE VOTE DE L'ASSEMBLÉE!
MAIS ENFIN... ILS VONT METTRE BAGDAD À FEU ET À SANG!

JUSTEMENT! TU AS DIT TOI-MÊME QUE LA VIOLENCE VA INFLUENCER LE VOTE DE L'ASSEMBLÉE!...

A GAUCHE OU À DROITE, L'ESSENTIEL C'EST QUE L'ON VOTE CONTRE LE CALIFE!
JE NE COMPRENDS RIEN À TA STRATÉGIE, MAIS JE ME DEMANDE SI ELLE EST BIEN AGAUCHE.

A MORT! A MORT CEUX QUI VOTERONT POUR LE CALIFE!
MERVEILLEUSE MUSIQUE!
ECOUTE-MOI...

A MORT LES VENDUS PARTISANS DU CALIFE!
A TROM
A MORT
VIVE LE GRAND VIZIR!
A BAS LE CALIFE!

ALLONS À L'ASSEMBLÉE! JE NE VEUX PAS RATER ÇA!
ATTENTION!

IL FAUDRA T'HABITUER À REGARDER DES DEUX CÔTÉS DE LA RUE EN TRAVERSANT.
7

MONTONS À LA TRIBUNE OFFICIELLE. C'EST DE LÀ QUE J'ASSISTAIS JUSQU'À PRÉSENT AU TRIOMPHE DE MON PRÉDÉCESSEUR...

MESSIEURS LES REPRÉSENTANTS, JE N'AI PAS DE CONSEILS À VOUS DONNER, MAIS JE VOUS DEMANDE DE SONGER AUX ÉMEUTES QUI FONT RAGE DANS LA VILLE, SUITE À LA MYSTÉRIEUSE PASSIVITÉ DES FORCES DE L'ORDRE...
CEUX QUI SONT ASSEZ FOUS POUR VOTER TOUT DE MÊME EN FAVEUR DU CALIFE, LÈVENT LE BRAS.

CEUX QUI NE TIENNENT PAS À SE FAIRE EMPALER PAR LE PEUPLE EN COLÈRE ET QUI VOTENT CONTRE LE CALIFE LÈVENT LE BRAS.

PAR 499 VOIX CONTRE 1, LE MANDAT DU CALIFE N'EST PAS RECONDUIT ET NOUS SOMMES SAUVÉS, LES GARS!

PAR CONSÉQUENT, ET SUIVANT NOTRE LOI, LE GRAND VIZIR DEVIENT CALIFE À LA PLACE DU CALIFE!

TU AS ENTENDU? ÇA Y EST! ENFIN, ÇA Y EST!!!

MON PAUVRE IZNOGOUD...

MAIS C'EST LE CALIFE!
OUI, ET CROIS BIEN QUE JE LE REGRETTE...

EH OUI! JE LE REGRETTE AUSSI POUR VOUS, MON VIEUX.
POUR MOI?

A MORT L'ANCIEN CALIFE! QU'ON NOUS DONNE L'ANCIEN CALIFE!
HÉ, HÉ, HÉ! D'AUTANT PLUS QUE VOUS AVEZ DES PROBLÈMES!...
DES PROBLÈMES?

TU DEVRAIS ESSAYER DE TE METTRE À L'ABRI.
A L'ABRI? MAIS L'ANCIEN CALIFE C'EST VOUS!

MAIS NON! C'EST CE QUE J'AI ESSAYÉ DE TE DIRE...

DERRIÈRE LE MIROIR, LE CALIFE C'ETAIT TOI, LE GRAND VIZIR C'ETAIT LUI!!!
9

IL EST LÀ!
EMPALONS-LE!
A MORT!

JE T'AVAIS POURTANT DIT DE REGARDER DES DEUX CÔTÉS AVANT DE TRAVERSER!
VIVE HAROUN EL POUSSAH, NOUVEAU CALIFE DE BAGDAD!
ÇA NE FAIT RIEN! JE VAIS ME CACHER DANS LE PARC D'ATTRACTION, LÀ-BAS!
A MORT L'IGNOBLE IZNOGOUD!
BAGDAD'S LUNA PARK

SALLE DES MIROIRS
SALLE DES MIROIRS! JE SUIS SAUVÉ!

QUE COMPTES-TU FAIRE?
EH BIEN JE VAIS PASSER À TRAVERS UN DE CES MIROIRS POUR RETOURNER DANS MON MONDE, TIENS!

IL FAUT RÉFLÉCHIR DEVANT UN MIROIR! CELUI QUE TU TIENS NE TE RAMÈNERA PAS À TON MONDE!
JE N'AI PAS LE CHOIX! ADIEU!

MAIS C'EST UN MIROIR DÉFORMANT!
CRRAAAC!

AH, VOUS VOICI ENFIN, PATRON! MAIS OÙ ÉTIEZ-VOUS DONC PASSÉ?
FIN

EN PRÉAMBULE DE CE CONTE À DORMIR DEBOUT QUE NOUS AVONS INTITULÉ :
TEXTE : GOSCINNY.
LE LIT ESCAMOTEUR
NOUS ALLONS VOUS PRÉSENTER UN REPORTAGE EXCLUSIF : 24 HEURES DE LA VIE DE HAROUN EL POUSSAH, CALIFE DE BAGDAD.
DESSINS : TABARY

9 H. DU MATIN. APRÈS AVOIR PASSÉ UNE BONNE NUIT, LE CALIFE ENTAME LA MATINÉE.

10 H.
LE PETIT DÉJEUNER DU COMMANDEUR DES CROYANTS !
GRMFF

11 H.

11 H.30

13 H.
LE DÉJEUNER DU COMMANDEUR DES CROYANTS EST SERVI !
GRMFF

14 H. - 18 H. SIESTE.

18 H. - 20 H. AFFAIRES D'ÉTAT.
Ô COMMANDEUR DES CROYANTS N'OUBLIEZ PAS QUE DEMAIN VOUS RECEVEZ UN NOUVEL AMBASSADEUR.
GRMFF

21 H. LE DÎNER EST EXPÉDIÉ.

22 H. LE CALIFE SE DISPOSE À PASSER UNE BONNE NUIT.
1

L'IGNOBLE ET AMBITIEUX GRAND VIZIR IZNOGOUD, PAR CONTRE, TÔT LEVÉ, FAIT UNE PETITE PROMENADE HYGIÉNIQUE DANS BAGDAD LA PHARAMINEUSE...
COMMENT RENVERSER UN HOMME QUI EST TOUJOURS COUCHÉ?

POUR CEUX QUI ONT PRIS L'ÉMISSION EN COURS DE ROUTE, NOUS SIGNALONS QUE LE GRAND VIZIR DÉSIRE DEVENIR CAFILE À LA PLACE DU FICALE... À LA PLACE DU FILA... DU CILA...

OH, REGARDEZ PATRON! UNE NOUVELLE BOUTIQUE!

TREMOLO MEUBLES
TREMOLO meubles
TREMOLO meubles
TREMOLO MEUBLES
TREMOLO
meubles

SI ON ALLAIT VOIR? J'ADORE LÉCHER LES VITRINES!
CE NE SONT PAS LES VITRINES QU'IL FAUT LÉCHER SI TU VEUX RÉUSSIR DANS LA VIE. MAIS ENFIN, SOIT.

ALORS, MARCHAND, TU VIENS DE T'INSTALLER À BAGDAD, PAR MAHOMET, LE PROPHÈTE?
OUI, NOBLE CHALAND, JE VIENS D'EUROPE L'OCCIDENTALE, PAR SAINT ANTOINE, LE FAUBOURG.

MAIS ENTREZ DONC... J'AI DES MEUBLES DE STYLE : BUREAUX EMPIRE...
EMPIRE? QUEL EMPIRE?

CELUI DE CHARLEMAGNE, BIEN ENTENDU... J'AI AUSSI DES CHAISES LONGUES PÉPIN LE BREF...

TENEZ! VOILÀ UN BUFFET CHILPÉRIC III... METTEZ-VOUS DEVANT; C'EST AMUSANT.
AMUSANT?
2

QU'A-T-IL D'AMUSANT, CE BUFFET?

EEEEH!
OOOOH!

QUAND ON PASSE DEVANT CE BUFFET, ON NE PEUT PAS S'EMPÊCHER DE DANSER.
ARRÊTEEEZ!

IL FAUT VOUS DIRE QUE JE ME SUIS FAIT UNE PETITE SPÉCIALITÉ DE MEUBLES MAGIQUES.

MAIS VOUS M'AVEZ L'AIR ÉPUISÉ, CHER CLIENT POSSIBLE...

ASSEYEZ-VOUS, JE VOUS PRIE.

MAIS... CETTE CHAISE FAIT DE LA MUSIQUE!
NORMAL; C'EST UNE CHAISE MUSICALE.

TIENS? IL N'Y A PLUS DE MUSIQUE!

EEEEEH!
PLOP!

EH OUI! QUAND LA MUSIQUE S'ARRÊTE, LA CHAISE DISPARAÎT.
?!?!?!
3

ÉCOUTEZ... J'AI UN PROBLÈME...
DITES TOUJOURS, ACHETEUR POTENTIEL.

AH, JE N'OSE PAS...
OSEZ. VOUS NE RÉSOUDREZ PAS UN PROBLÈME EN L'ÉVITANT...
...C'EST GARANTI POUR LONGTEMPS!

ÇA VEUT DIRE QUOI, ÇA?
RIEN. JE DISAIS ÇA POUR MEUBLER LA CONVERSATION.

CESSE DE DIRE DES BÊTISES! VA M'ATTENDRE LÀ-BAS!
ALORS? VOTRE PROBLÈME?

VOUS N'AURIEZ PAS UN LIT DE MORT?
NON, JE N'AI PLUS CET ARTICLE EN MAGASIN, MAIS SUIVEZ-MOI AU RAYON LITERIE. J'AI AUTRE CHOSE À VOUS PROPOSER.

C'EST UN LIT ESCAMOTEUR.
ESCAMOTABLE, VOUS VOULEZ DIRE?
LITERI

NON, NON! ESCAMOTEUR! VOUS VOULEZ L'ESSAYER?
DILAT! À MA BOTTE!

J'EN AI ASSEZ D'ÊTRE TRAITÉ COMME UN CHIEN!
MOI JE TE TRAITE COMME UN CHIEN?
MAIS TU ES MON AMI!... MON AMI TRÈS CHER! JE TE RESPECTE!... SI JE T'AI FROISSÉ, JE TE PRIE DE ME PARDONNER!... JE...
BON, BON, N'EN PARLONS PLUS. QUE DÉSIREZ-VOUS?

COUCHÉ!
4

ET?...
ATTENDEZ...

!!!
SCHLAPPP!

???

MERVEILLEUX!
N'EST-CE PAS? CHÊNE CLAIR, MATELAS CONFORT SUPER DE LUXE, ET QUELLE ÉCONOMIE EN DESCENTES DE LIT!

MAIS... MAIS OÙ EST DILAT LARAHT?
VOTRE MAÎTRE D'HÔTEL? JE NE SAIS PAS, LES GENS QUI UTILISENT MES LITS ESCAMOTEURS NE REVIENNENT JAMAIS.

JAMAIS?!?!?!?!
JAMAIS.

POUVEZ-VOUS ME LIVRER CE LIT AUJOURD'HUI? VOTRE PRIX SERA LE MI...
900.000 PIASTRES.
ÇA NE VA PAS DANS VOTRE TÊTE?

TANT PIS. CET ARTICLE EST TRÈS DEMANDÉ, NOTAMMENT POUR LES CHAMBRES D'AMIS DES RÉSIDENCES SECONDAIRES. SERVITEUR.
NON! NON! JE PLAISANTAIS! D'ACCORD!

IL SERA INSTALLÉ AUJOURD'HUI MÊME. ET SI VOUS N'EN ÊTES PAS SATISFAIT, JE LE REPRENDS AUSSITÔT. JE N'ARRIVE PAS À FOURNIR.
meubles
meuble
MERCI, MONSIEUR TRÉMOLO! ÇA C'EST DU MEUBLE!
5

Ô, COMMANDEUR DES CROYANTS, JE PEUX ENTRER?
MAIS BIEN SÛR, MON BON IZNOGOUD!

CIEL! COMME CETTE COUCHE DOIT ÊTRE INCONFORTABLE!... COMMENT POUVEZ-VOUS DORMIR LÀ-DESSUS?
OH, JE NE SAIS PAS... C'EST UN DON.

A PROPOS DE DON, J'AI QUELQUE CHOSE POUR VOUS!
?

C'EST POUR VOUS! ESSAYEZ-LE!
OH OUI! J'AI SOMMEIL, JUSTEMENT!

COMMANDEUR DES CROYANTS! LE NOUVEL AMBASSADEUR EST ANNONCÉ!

JE DOIS ALLER DANS LA SALLE D'AUDIENCES. AUTANT EN FINIR AVEC LES AFFAIRES, APRÈS JE POURRAI DORMIR SUR MES DEUX OREILLES.

PEU APRÈS...
EXPÉDIEZ-LE VITE! J'AI HÂTE DE VOUS ESCAM... DE VOUS FAIRE ESSAYER MON CADEAU!
JE SUIS AUSSI IMPATIENT QUE TOI, MON BON IZNOGOUD.

SON EXCELLENCE IBN ALLAJOUAH AMBASSADEUR D'ARABIE HEUREUSE!
6

MA PRÉSENCE ICI SERVIRA A RESSERRER LES LIENS TRADITIONNELS QUI UNISSENT NOS DEUX GRANDS PAYS.

COMMANDEUR DES CROYANTS! C'EST À VOUS!
GRMFF

AH OUI! MON DISCOURS...
LE VOICI.

VOTRE PRÉSENCE ICI SERVIRA À RESSERRER LES LIENS TRADITIONNELS QUI UNISSENT NOS DEUX GRANDS PAYS. BON. ON VA SE COUCHER.

MAINTENANT, VOUS ALLEZ BOIRE AVEC MOI LE CAFÉ RITUEL.
NON, MERCI.

ALORS, C'EST LA GUERRE.

BIEN, BIEN! DONNE LE CAFÉ.
UN SUCRE? DEUX SUCRES?

OUF! IL EST PARTI! VOUS VENEZ ESSAYER MON LIT?
NON.

COMMENT, NON???
JE N'AI PAS SOMMEIL. C'EST À CAUSE DU CAFÉ.
7

C'EST POUR ÇA QUE JE N'EN BOIS JAMAIS. TU VAS RIRE: ÇA ME DONNE DE L'INSOMNIE.

BIEN ENTENDU, VOUS REFUSEZ DE VENIR VOUS ALLONGER UN PEU... DISONS, 4 SECONDES?
AH NON! AH NON! J'AI HORREUR DE PARESSER AU LIT QUAND JE N'AI PAS SOMMEIL.

QUE L'ON FASSE VENIR L'ORCHESTRE DU PALAIS!
CHIC! UNE VEILLÉE!

DES BERCEUSES! JOUEZ DES BERCEUSES!

BABLIOUBAB BABLIOUBIB! SCAT, SCAT! LABADOUBADABI BABA!
BABLIOUBAB. BON. C'EST RATÉ.

ARRÊTEZ LA MUSIQUE!...
ARRÊTEZ LA MUSIQUE!
GRMFF?

PEU APRÈS...
VOUS VENEZ ME RENDRE LE LIT? J'AI JUSTEMENT UNE DEMANDE...
NON, NON, PAS ENCORE. VOUS AVEZ SÛREMENT DES TABLES RONDES?
meubles

OUI, J'AI ÇA EN STOCK... JE VOUS LIVRE LA TABLE RONDE AVEC COMBIEN DE TECHNOCRATES?
QUATRE, ÇA DEVRAIT ÊTRE SUFFISANT.

ET, UN PEU PLUS TARD...
VENEZ! VOUS ALLEZ PRÉSIDER UN DÉBAT!
UN DÉBAT? MAIS MOI JE SUIS TOUJOURS D'ACCORD AVEC TOUT LE MONDE...
8

LA CONJONCTURE ÉTANT PRÉOCCUPANTE...
PAS D'ACCORD. ÉTUDIONS VOTRE POSITIONNEMENT...
MAIS IL Y A LÀ UN CRÉNEAU DANS L'OPINION PUBLIQUE, QUI...
J'AI LÀ QUELQUES CHIFFRES QUI ÉCLAIRERONT UTILEMENT LE DÉBAT...

AH NON! VOS THÉORIES, BIEN QUE SÉDUISANTES, NE CORRESPONDENT PAS À UNE PROSPECTIVE QUI...
DU CALME. NOUS ALLONS ÊTRE EN RETARD POUR LE THÉÂTRE. PIÈCE D'AVANT-GARDE. UN PEU ARDUE.

SOCIÉTÉ! BOURGEOISIE! POGNON! POGNON! POGNON!

ZZZZZZ ZZZZ ZZZZ

BRAVO! BRAVO! BIS! BIS! BIS!
CLAP CLAP CLAP
GRMFF?

LES CHAMEAUX! QUE L'ON RÉUNISSE TOUS LES CHAMEAUX DU CALIFAT!

COMPTEZ LES BOSSES!
POURQUOI? IL EN MANQUE?

UN PAQUET D'HEURES PLUS TARD...
IZNOGOUD! C'EST ÉNERVANT! J'EN AI COMPTÉ 12.487... IL Y A SÛREMENT UNE ERREUR... ON RECOMMENCE?
GRMFF?

NON. J'AVAIS PRÉVU. LISEZ. C'EST UNE ANALYSE SUR LA BÉDÉ.

TU SAVAIS QUE DANS L'UNIVERS ONIRIQUE DE KOKO LE MAKAK, LA FIGURATION NARRATIVE FAIT APPEL AU STRUCTURALISME?
GRMFF!?
9

QU'EST-CE QUE C'EST QUE ÇA? ??!!!!
DU CAFÉ. CE LIVRE EST TELLEMENT PASSIONNANT QUE J'AI EU PEUR DE M'ENDORMIR AVANT LA FIN.

ÇA VA. JE LAISSE TOMBER.

BON. VOUS CROYEZ, SANS DOUTE, QU'ÉPUISÉ JE VAIS M'ÉCROULER SUR LE LIT ESCAMOTEUR?

EH BIEN PAS DU TOUT! NON SEULEMENT J'AI RENDU LE LIT AU MARCHAND DE MEUBLES...

... MAIS POUR PLUS DE SÉCURITÉ, JE M'ÉLOIGNE DE BAGDAD!

AUBERGE

OUI, IL Y A UNE CHAMBRE QUI VIENT DE SE LIBÉRER... ON PAIE D'AVANCE, JE VOUS PRIE.

VOUS VOULEZ DÎNER?
GRMFF?
10

NON, NON, JE SUIS SI FATIGUÉ QUE JE VAIS M'ÉCROULER SUR LE LIT ET DORMIR!
FIN

LES MINARETS MAGIQUES
TEXTE : GOSCINNY - DESSINS : TABARY -
IZNOGOUD DOIT DEVENIR CALIFE
IZNOGOUD CALIFE
A BAS HAROUN EL POUSSAH
VIVE IZNOGOUD
VIVE IZNOGOUD
IZNOGOUD AVEC NOUS

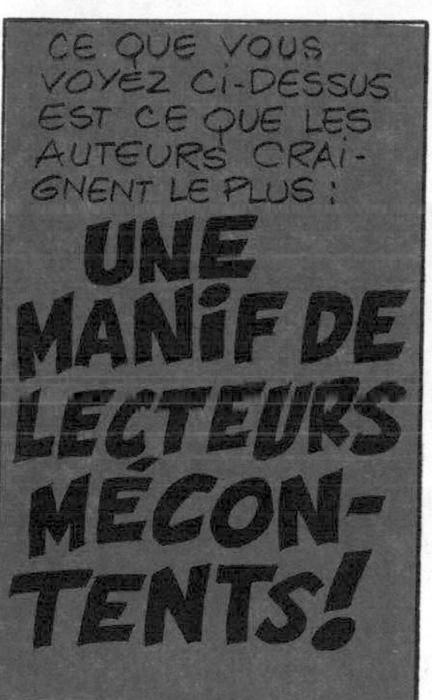
CE QUE VOUS VOYEZ CI-DESSUS EST CE QUE LES AUTEURS CRAIGNENT LE PLUS :
UNE MANIF DE LECTEURS MÉCONTENTS!

OUAIS, NOUS EN AVONS ASSEZ!
ÇA FAIT DES ANNÉES QUE ÇA DURE!
POURQUOI IZNOGOUD NE RÉUSSIT JAMAIS À ÊTRE CALIFE?

PERMETTEZ. JE SUIS UN SPÉCIALISTE DE CE GENRE DE LITTÉRATURE GRAPHIQUE. VOUS CONFONDEZ HUMOUR ITÉRATIF AVEC MANQUE D'IMAGINATION. EN CE QUI CONCERNE L'ONIRISME, SI NOUS NOUS RÉFÉRONS AU "VOYAGE DANS UNE PIÈCE DE MONNAIE" DE GUY L'ÉCLAIR, NOUS...

OUI, BON, ÇA VA! CE QU'IL VEUT DIRE C'EST QUE VOUS EXPLOITEZ SANS VERGOGNE DEPUIS DES ANNÉES UNE SITUATION UNIQUE: IZNOGOUD VEUT DEVENIR CALIFE ET IL NE RÉUSSIT PAS. C'EST UNE FAÇON FACILE DE GAGNER SON POGNON!...

ALORS MAINTENANT IL VOUS RESTE 15 PAGES POUR FAIRE D'IZNOGOUD UN CALIFE!... SINON, ON VOUS MASSACRE!
1

VOUS AVEZ COMPRIS?
15 PAGES. PAS UNE DE PLUS!
SINON...

TARD DANS LA NUIT, DANS LEUR MODESTE ATELIER, DEUX GRANDS ESPRITS SE CONSULTENT...
ALORS, QU'EST-CE QU'ON FAIT?
BEN, TU LES AS ENTENDUS... ON FAIT UN CALIFE.

MAIS COMMENT? NOUS AVONS TOUT ESSAYÉ ET CET IMBÉCILE D'IZNOGOUD A TOUT RATÉ!
IL RESTE LES MINARETS MAGIQUES.

LES MINARETS MAGIQUES? MÂTIN! MAIS IL FAUT DES QUALITÉS EXCEPTIONNELLES POUR RÉUSSIR!
NOUS L'AIDERONS! DÉPÊCHONS-NOUS; IL NE NOUS RESTE QUE 14 PAGES. IL N'Y A PLUS UNE CASE À PERDRE!

ET C'EST AINSI QUE L'IGNOBLE IZNOGOUD, GRAND VIZIR DE BAGDAD, SE TROUVE INOPINÉMENT DANS UN ENDROIT MYSTÉRIEUX...
OÙ SUIS-JE?

IZNOGOUD, VEUX-TU DEVENIR CALIFE À LA PLACE DU CALIFE?
?

DITES! VOUS DEVRIEZ LIRE PLUS SOUVENT VOS PROPRES ÂNERIES. ÇA FAIT PLUS D'UNE DOUZAINE D'ANNÉES QUE JE VOUS NOURRIS À VOULOIR ÊTRE CALIFE À LA PLACE DU CALIFE!

BON, BON. TOURNE-TOI ET PENCHE-TOI.
COMME ÇA?

OUAILLE!
PAFFF!

2

OÙ RE-SUIS-JE?
TU ES AU PAYS DES MINARETS MAGIQUES.

QUI ES-TU?
JE SUIS LE VIEUX DE LA MACHINE.

ET QUE FAIS-JE DANS CET ÉTRANGE PAYS, VIEUX MACHIN?
PAS VIEUX MACHIN, VIEUX DE LA MACHINE!

CHAQUE FOIS QUE TU FERAS PREUVE D'UNE QUALITÉ EXCEPTIONNELLE, TU ATTEINDRAS UN MINARET MAGIQUE...

...SI TU ATTEINS LE 10 ÈME MINARET, TU SERAS ENFIN CALIFE À LA PLACE DU CALIFE!
CALIFE?

OÙ SONT-ILS CES MINARETS?
PAS SI VITE! TU DEVRAS FRANCHIR DES OBSTACLES TERRIBLES!...
...ET SI TU EN RATES UN SEUL, TU SERAS PRÉCIPITÉ DANS LES OUBLIETTES INFERNALES! VA!

PSSS! ENCORE DES DINGUERIES... POUR LEURS ÉLUCUBRATIONS ILS DEVRAIENT SE TROUVER UN AUTRE COBAYE!

QUELQU'UN M'A DEMANDÉ?
?!?!

ALLEZ COUCHER!
PIED TENDRE! CORNE VERTE! COYOTE!

UN MINARET! LE PREMIER MINARET MAGIQUE!
3

UN INSTANT!

OÙ VAS-TU SI VITE?
JE DOIS ME RENDRE AU MINARET, LÀ-BAS.

CE MINARET M'APPARTIENT! IL EST À MOI! MALAKI, LE PROMOTEUR DE MINARETS!

SI TU VEUX Y ALLER, IL FAUT PAYER!
PAYER? COMBIEN MALAKI?

100.000 PIASTRES!
100.000 PIASTRES?

TU AS DIT 100.000?
J'AI DIT 100.000!

CE N'EST PAS 100.000 QUE JE VAIS TE DONNER, C'EST 200.000...

FLUSSSHHH
DING
DONG

COUPS DE PIEDS
FÉLICITATIONS! TU AS ATTEINT LE PREMIER MINARET MAGIQUE!
1

CAR, EN OFFRANT PLUS QU'ON NE TE DEMANDAIT, TU AS FAIT PREUVE DE LA PREMIÈRE QUALITÉ: LA GÉNÉROSITÉ!

TU PEUX MAINTENANT CHERCHER À ATTEINDRE LE MINARET SUIVANT!
!?

HMM... PAR PRUDENCE JE VAIS CACHER MON OR DANS MON TURBAN. ON NE SAIT JAMAIS...
4

OH LÀ LÀ! QUE CES FAGOTS SONT LOURDS!...
?

AIDE-MOI, NOBLE CITOYEN.
ALLEZ, ALLEZ, HORS DE MON CHEMIN! JE N'AI PAS LE TEMPS DE RIGOLER!

EH! OH!

¡IL TOMBE! TOUT EST PERDU!
PAS ENCORE! NOUS AVONS UNE CHANCE DE LE SAUVER!

PLOUTCH!
??

PAFFF!

QUELQUE CHOSE ME DIT QUE C'EST À CAUSE DE CETTE VIEILLE MAL FAGOTÉE QUE TOUT EST ARRIVÉ...

JE VAIS LA CHASSER D'UN COUP DE TRIQUE... ET JE SAIS OÙ TROUVER DES TRIQUES!

DONNE-MOI UN PEU DE CE BOIS, VIEILLE FEMME.
5

FLÜSSSHHH
DONG
DING

???

BRAVO! TU AS ATTEINT LE DEUXIÈME MINARET MAGIQUE EN MANIFESTANT LE DÉSIR D'AIDER CETTE VIEILLE FEMME; TU AS AINSI FAIT PREUVE D'UNE AUTRE QUALITÉ: LA BONTÉ.

GÉNÉROSITÉ, BONTÉ... BAH! EN POLITIQUE IL FAUT SAVOIR ACCEPTER LES INJURES SI ON VEUT ARRIVER AU SOMMET!

ÇA DEVIENT HUMIDE PAR ICI... ET OÙ PEUT BIEN ÊTRE LE MINARET SUIVANT?

OHÉ!
?

?????

JE COMPRENDS TA STUPÉFACTION, BEL ÉTRANGER... TU PENSES QUE JE SUIS VENUS SORTANT DE L'ONDE, ON S'Y TROMPERAIT... EH BIEN TU FAIS ERREUR SUR LA DÉESSE...

JE SUIS HÉPATITE SORTANT DE L'HUÎTRE. MON RÔLE EST DE GUIDER LE VOYAGEUR ÉGARÉ.

ÇA TOMBE BIEN. JE CHERCHE UN MINARET MAGIQUE.
C'EST SIMPLE. C'EST TOUT DROIT.
6

MAIS FAIS BIEN ATTENTION: IL Y A DES SABLES MOUVANTS QUI RISQUENT D'ENGLOUTIR LE TOURISTE IMPRUDENT.
DES SABLES MOUVANTS!?

EUH... VOUS AVEZ BIEN DIT À GAUCHE ET PUIS À DROITE AU PREMIER FEU ROUGE?
NON, NON. TOUT DROIT, AIMABLE MÉTÈQUE.

À DROITE, ET PUIS LA DEUXIÈME À GAUCHE APRÈS LE PONT?
NON, TOUT DR... OUI, BON, ÇA VA, JE VAIS T'ACCOMPAGNER. PASSE DEVANT.

NON, NON, APRÈS VOUS, JE VOUS EN PRIE...

FLUSSSHHH
DING
DONG

???
3

TU AS MONTRÉ UNE NOUVELLE VERTU : LA GALANTERIE. VA, CONTINUE TON CHEMIN.

MAIS ATTENTION! TU DEVRAS TRAVERSER LE TERRITOIRE OÙ SÉVIT L'OGRE COLESTÉROL!

CO... COMMENT LE RECONNAITRAI-JE?
À SES VÊTEMENTS: IL A UN CHAPEAU MELON, UN COL À MANGER DE LA TARTE, DES MANCHES GIGOT, DES GANTS BEURRE FRAIS ET DES PANTALONS QUI BOUFFENT...

AH OUI... IL A AUSSI UNE TAILLE SENSIBLEMENT SUPÉRIEURE À LA MOYENNE.

QU'AVONS-NOUS ICI?
!!!

UN EN-CAS!
7

ATTENDEZ! VOUS N'ALLEZ PAS ME MANGER ?
MAIS SI!

JE VAIS VOUS RENDRE MALADE! JE SUIS UN ÊTRE IMMONDE PLEIN D'HUMEURS MAUVAISES! JE SUIS AIGRE, AMER, PUANT...

FLUSSSHHHH
DONG
DING

CETTE FOIS-CI, C'EST TA SINCÉRITÉ QUI TE PERMET DE FRANCHIR CETTE NOUVELLE ÉTAPE. CONTINUE, MON PETIT!

CONTINUE, CONTINUE... ÇA FAIT UN MOMENT QUE JE SUIS CHEZ LES CINGLÉS...

... ET PUIS L'OGRE, LÀ, IL M'A DONNÉ FAIM... JE ME DEMANDE S'IL N'Y A PAS UNE AUBERGE PAR ICI?

RIEN...

J'AI LE VENTRE CREUX... J'AI DE PLUS EN PLUS FAIM...

J'AI FAIM!!!

???
AH! DU PUBLIC!
8

TU VAS ASSISTER
À NOTRE CONCERT!
MAIS...

PAS DE MAIS! SI
TU VEUX PASSER
TU DOIS ÉCOUTER
NOTRE MUSIQUE!
!

ASSIEDS-TOI ICI.
NOUS ALLONS
COMMENCER.

LE "LA" JE VOUS PRIE!!!

BROOP!
MERCI!
ON Y VA...
ET UNE,
ET DEUX,
ET TROIS,
ET
QUATRE!!!

CE QUE JE PEUX
AVOIR FAIM!...

DÉSOLÉ POUR LE TEMPS...
ÇA ARRIVE CHAQUE FOIS
QUE NOUS JOUONS.

VOUS NE TROUVEZ PAS QUE
NOUS JOUONS
FAUX?
PAS
SPÉCIALEMENT.
9

FLUSSSHHH
DING
DONG

JE RENDS HOMMAGE À CETTE GRANDE QUALITÉ BIEN DE CHEZ NOUS: LE COURAGE! MÊME LES CŒURS LES PLUS VALEUREUX N'ONT PAS RÉSISTÉ JUSQU'AU BOUT À L'HORRIBLE MUSIQUE DISCORDANTE DE L'ORCHESTRE INFERNAL!

HÉ, HÉ!... C'EST TOUT DE MÊME VRAI QUE VENTRE AFFAMÉ N'A PAS D'OREILLE!...

?

JE SUIS TABAH, LE GARDIEN DU PASSAGE. TU DOIS ATTENDRE QUE JE LÈVE LA BARRIÈRE POUR POURSUIVRE TA ROUTE.
EH BIEN, LÈVE LA TA BARRIÈRE.

AH NON, AH NON! IL FAUT ATTENDRE!

AH, ET PUIS ZUT! JE VAIS PASSER À CÔTÉ.
JE TE LE DÉCONSEILLE, TÉMÉRAIRE RASTACOUÈRE!

PRRRRRR!

OOOOH!

IL TOMBE! CETTE FOIS C'EST FICHU!
POUSSE-TOI! LAISSE-MOI FAIRE!

PLOUTCH!
10

PAFFF!

PRRRRR!

BON, EH BIEN IL NE ME RESTE QU'À ATTENDRE, ET, POUR TROMPER MON ABSENCE, JE VAIS EN PROFITER POUR PRÉPARER MON ARRIVÉE AU POUVOIR...

QUAND J'ENTAMERAI MON PREMIER SEPTENNAT, JE COMMENCERAI PAR EMPALER TOUTE L'OPPOSITION...

... ENSUITE, JE VAIS AUGMENTER LES IMPÔTS ET EN CRÉER DE NOUVEAUX...

... APRÈS, JE SUPPRIMERAI TOUTES LES LIBERTÉS ET JE VAIS CRÉER UNE POLICE SPÉCIALE POUR SURVEILLER LES MARIOLES...

... LES ENFANTS QUI DÉNONCERONT LEURS PARENTS SERONT RÉCOMPENSÉS...

JE PERSÉCUTERAI, EMPRISONNERAI, EMPALERAI, TERRORISERAI, ÉPOUVENTERAI, HACHERAI MENU, MENU, MENU...

TU PEUX PASSER.
DÉJÀ?
11

FLUSSSHHH
DONG
DING

TU AS FAIT PREUVE D'UNE PATIENCE ANGÉLIQUE!...

VA MON ENFANT! TU ES UN ANGE!
CELUI-LÀ JE LE FERAI EMPALER LE JOUR DE MON INTRONISATION!

QUE CE PAYSAGE EST ARIDE...

QUE CE CHEMIN EST ARDU!

QUE JE SUIS LAS...

JE NE VOIS PAS LE MINARET SUIVANT... JE SUIS DÉCOURAGÉ... CETTE FOIS-CI JE N'Y ARRIVERAI PAS...

JE NE CROIS PLUS QUE JE RÉUSSIRAI...

JE NE CROIS PLUS QUE JE SERAI CALIFE À LA PLACE DU CALIFE...
JE NE CROIS PLUS! JE NE CROIS PLUS! JE NE CROIS PLUS!

UN PETIT VERRE?
?
12

APÉRITIFS? VINS? SPIRITUEUX? COCKTAILS? LIQUEURS? POUSSE-CAFÉ? ALCOOLS?
???

NON, MERCI.

FLUSSHHH
DING DONG

ADMIRABLE! TU AS SU DIRE NON À L'ALCOOL!!!
7

LA SOBRIÉTÉ T'A PERMIS DE FRANCHIR CE NOUVEL OBSTACLE REDOUTABLE!

TÉ, IL FAUDRAIT ÊTRE FOU POUR BOIRE DE L'ALCOOL PENDANT UNE CRISE DE FOI!
EH! OH!

CE DERNIER CALEMBOUR EST INFÂME! IL Y A DES LIMITES! UN PEU DE TENUE, TOUT DE MÊME!
QUI ES-TU?

JE SUIS ROUZÉCOMBALUZIEH, LE GÉNIE DES CENSEURS, ET JE MAINTIENS QUE JE NE PEUX PAS ACCEPTER CE CALEMBOUR!

C'EST LE PIRE QUE TU AIES JAMAIS FAIT... ET POURTANT!..
OH, J'EN AI FAIT DES PIRES.

DES PIRES?
?!!??
DES PIRES, OUI MÔSSIEU! PEUT-ÊTRE LES PIRES JAMAIS UTILISÉS DANS UNE HISTOIRE ILLUSTRÉE!...
ET JE SUIS MODESTE!
13
FLUSSHHH
DONG DING

OH OUI, TU ES MODESTE!

ET LA MODESTIE EST UNE QUALITÉ RARE... IL NE TE RESTE QUE PEU D'OBSTACLES À FRANCHIR...

... MAIS JE TE PRÉVIENS : ILS RISQUENT D'ÊTRE LES PLUS DURS!
QU'EST-CE QU'ILS VONT ENCORE INVENTER?

C'EST QUE ÇA COMMENCE À FAIRE UN PEU LONG!...

NOUS SOMMES LES DOUANIERS DU 9ÈME MINARET MAGIQUE. AS-TU QUELQUE CHOSE A DÉCLARER? DES DEVISES? DE L'OR?...
DOUANE
ZOLL

AH, ET PUIS J'EN AI ASSEZ DE TOUTES CES BÊTISES!...

J'EN AI PAR DESSUS LA TÊTE! VOUS ENTENDEZ? PAR DESSUS LA TÊTE!
14

FLUSSHHH
DING DONG

???

EN AVOUANT AUX DOUANIERS QUE TU AVAIS CACHÉ TON OR DANS TON TURBAN, TU AS FAIT PREUVE D'HONNÊTETÉ!...

C'EST UNE QUALITÉ PEU RÉPANDUE DE NOS JOURS!...

TU ES GÉNÉREUX, BON, GALANT, SINCÈRE, COURAGEUX, PATIENT, SOBRE, MODESTE ET HONNÊTE...

D'ICI, SANS ENCOMBRE, TU POURRAS ATTEINDRE LE 10ÈME ET DERNIER MINARET MAGIQUE, QUI RÉCOMPENSERA TA PLUS GRANDE QUALITÉ: LA PERSÉVÉRANCE!...
10

VA! TU SERAS UN BON CALIFE, MON PETIT!

JE VAIS ÊTRE CALIFE! JE VAIS ÊTRE CALIFE À LA PLACE DU CALIFE!
10

JE VIS DANS UN TOURBILLON DE BONHEUR!...
10

OUI! C'EST COMME UN TOURBILLON DE BONHEUR QUI EMPORTE L'IGNOBLE GRAND VIZIR IZNOGOUD QUI ENFIN, ENFIN POURRA DEVENIR CALIFE À LA PLACE DU CALIFE, COMBLANT AINSI LES ASPIRATIONS DE DIZAINES DE MILLIONS DE LECTEURS IMPATIENTS AUTANT QUE FIDÈLES OUI, LE GRAND VIZIR

SCHTROK!
15

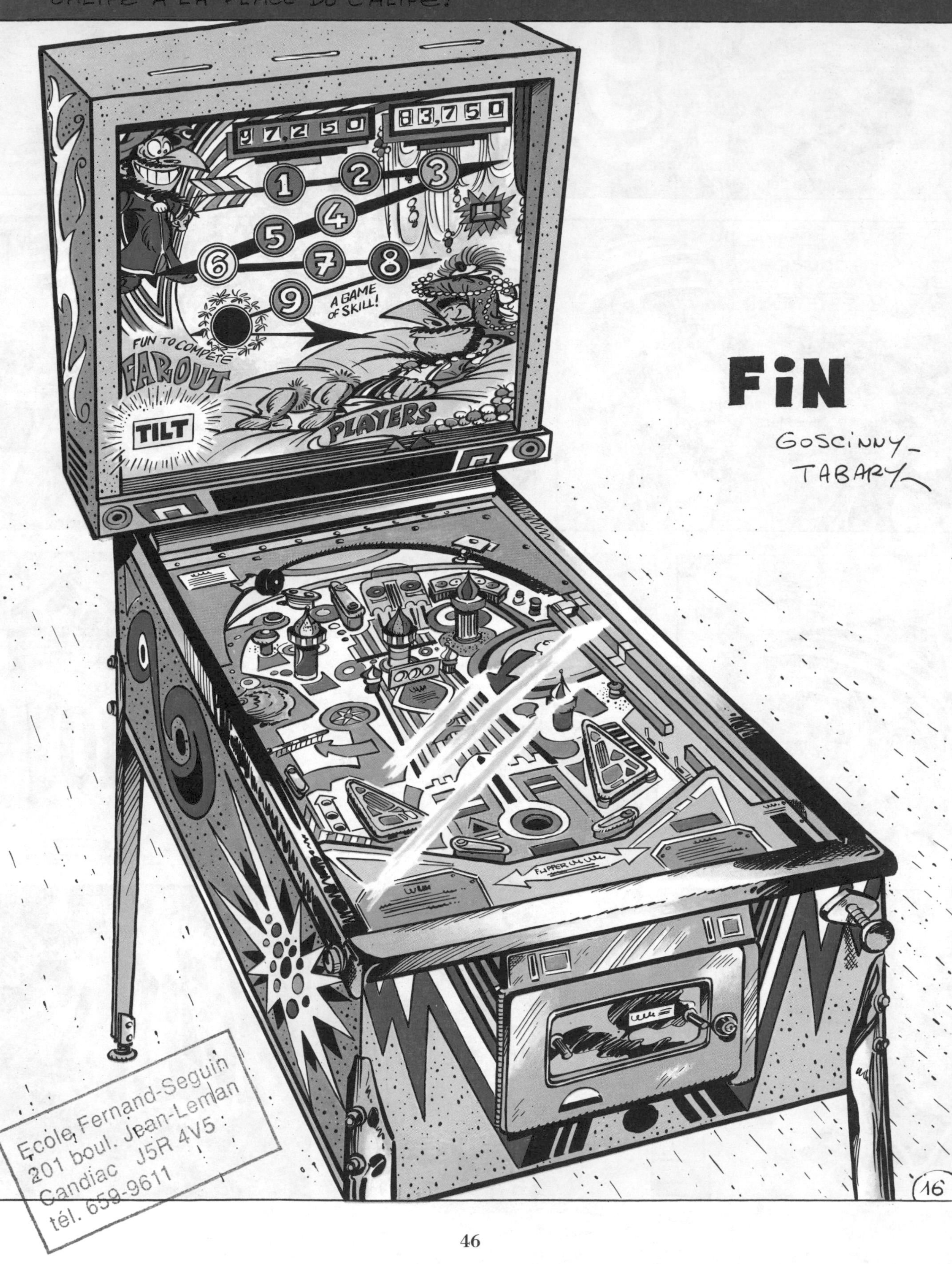
AH, C'EST MALIN! MAIS AUSSI, QU'EST-CE QUI VOUS A PRIS DE REMUER CETTE HISTOIRE DANS TOUS LES SENS, COMME ÇA? CETTE FOIS-CI, C'EST À CAUSE DE VOTRE MALADRESSE, OUI, DE VOTRE MALADRESSE, LECTEURS, QU'IZNOGOUD NE SERA PAS CALIFE À LA PLACE DU CALIFE!
97250
83750
1
2
3
4
5
6
7
8
9
A GAME OF SKILL!
FUN TO COMPETE
FAR OUT
TILT
PLAYERS
FIN
GOSCINNY-TABARY
16

BIBLIOGRAPHIE DE TABARY

COLLECTION IZNOGOUD
de GOSCINNY et TABARY

AUX EDITIONS DARGAUD
- Le Grand Vizir IZNOGOUD (1)
- Les complots du Grand Vizir IZNOGOUD (1)
- Les Vacances du Calife (1)
- IZNOGOUD l'Infâme (1)
- Des astres pour IZNOGOUD (1)
- IZNOGOUD et l'ordinateur magique (1)
- Une carotte pour IZNOGOUD (1)
- Le jour des Fous (1)

AUX EDITIONS GLENAT
- L'enfance d'IZNOGOUD (3)

AUX EDITIONS TABARY
- Le tapis magique (1)
- IZNOGOUD l'acharné (1)
- La tête de turc d'IZNOGOUD (1)
- Le conte de Fées d'IZNOGOUD (1)
- Je veux être Calife à la place du Calife (1)
- Les cauchemars d'IZNOGOUD (1)
- Les cauchemars d'IZNOGOUD (Bis) (2)
- IZNOGOUD et les femmes (3)
- Le complice d'IZNOGOUD (3)
- L'anniversaire d'IZNOGOUD (3)
- IZNOGOUD enfin Calife ! (3)

(1) Texte GOSCINNY
(2) Texte BUHLER
(3) Texte TABARY

COLLECTION CORINNE ET JEANNOT
de TABARY

- Retours de bâton
- On peut se marier
- JEANNOT hai...me CORINNE
- CORINNE et JEANNOT en vacances
- CORINNE et JEANNOT et l'agent bodart
- De pire en pire

Textes et dessins : TABARY

COLLECTION GRABADU
de TABARY

- GRABADU et GABALIOUCHTOU

Texte et dessins : TABARY

COLLECTION TOTOCHE
de TABARY

- Le bolide
- Les totoch'band
- Le meilleur ami de l'homme
- Le grand voyage
- Les sinistrés
- Belleville City
- Tous des sauvages
- Portrait robot
- Le chef
- TOTOCHE tourne mal
- Sa dernière course
- Le Fils du voleur

Textes et dessins : TABARY

COLLECTION VALENTIN LE VAGABOND
de TABARY

- Les mauvais instincts
- Le prisonnier récalcitrant
- VALENTIN et les hippies
- VALENTIN et les autres
- L'héritage diabolique
- Aux fous
- VALENTIN fait le singe

Textes et dessins : TABARY

COLLECTION RICHARD ET CHARLIE
de TABARY

- Richard et Charlie au Japon

Texte et dessins : TABARY

Dépôt légal 2e trimestre 1991
Éditeur n° 025

Directrice Colette TABARY

Droits dérivés : HYPHEN - Tél. : 46-44-24-96

Imprimé en France par CLERC S.A. - 18200 Saint-Amand-Montrond